A mes très chers parents que j'aime,
James et Jenny, m'ayant toujours
apporté leur soutien.

Maddy May

Mandie Davis
&
Maddy May

Reprinted (Version 3) November 2017
Reprinted (Version 2) January 2016
First published by Les Puces Ltd in December 2015
ISBN 978-0-9931569-7-7

www.lespuces.co.uk

Egalement disponible chez Les Puces

Consultez notre boutique en ligne sur www.lespuces.co.uk

Mon Corps

Mandie Davis
&
Maddy May

Coucou ! Ca, c'est moi.
Je m'appelle Charlotte.
Comment t'appelles-tu ?

Voici mon corps.
Je l'aime beaucoup !

Voici ma tête, elle est au-dessus de mon cou.
J'ai de longs cheveux blonds.
Peux-tu hocher la tête ?

Sur mon visage il y a deux yeux, un nez et une grande bouche toute souriante !

Voyons voir si tu peux faire ça : cligne des yeux, fais remuer ton nez et souris en même temps !

Mon
meilleur
copain
s’appelle
Hugo.
Il habite
dans la
maison
voisine.

Je peux
lui faire
«coucou»
depuis ma
fenêtre.
Peux-tu
faire
«coucou»
avec ta
main ?

J'utilise mes bras quand je joue avec mes copains. Nous crions ensemble et nous parlons très fort ! Nous utilisons nos jambes pour courir très vite. Peux-tu faire bouger tes bras ?

3 + 4 − 5 ×

A l'école nous devons être silencieux. Parfois nous chuchotons. Nous utilisons nos oreilles pour écouter la maîtresse. Peux-tu chuchoter "coucou" tout doucement ?

J'utilise mes doigts pour jouer de la flûte à bec. Hugo fait du violon. Les bouts des doigts font un chouette petit bruit. Peux-tu tapoter des doigts ?

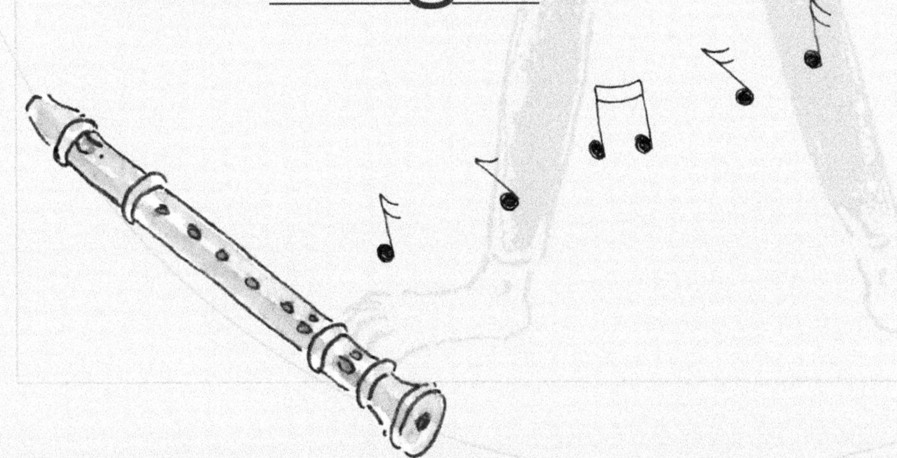

S'il y a du soleil je mets de la crème solaire. Je dois me souvenir d'en mettre sur mon front et mon menton.

Finn court plus vite que moi; il gagne toujours quand nous faisons la course !
Je dois peut-être plus m'entraîner. Peux-tu montrer tes genoux du doigt ?

J'utilise ma langue pour goûter les bonnes choses que je mange !

Les lentilles..

..les épinards..

..et la glace...

...sont les aliments préférés d'Hugo.

Moi, j'aime...

..les glaces
à l'eau..

...la purée de
pommes de terre..

..et la soupe
à la
tomate...

...mais pas tout en même temps ! Ca serait idiot ! Berck !

Peux-tu tirer la langue ?

Quand nous allons nous promener, je mets mon sac-a-dos sur mes <u>épaules</u>. Si mes <u>orteils</u> sont froids, je tape des <u>pieds</u>, l'un après l'autre. Peux-tu taper des <u>pieds</u> ?

Quand je danse, je bouge les fesses et je sors les coudes ! Hugo et moi, nous rigolons tellement que nous ne pouvons plus chanter !

A la fin de la journée, quand je suis fatiguée, j'aime lire un livre dans mon lit. Je le tiens jusqu'à ce que mes poignés me fassent mal et que ma nuque soit fatiguée.

Et ensuite je m'endors.
Bonne nuit !

Mon Corps - Chanson

REFRAIN:
J'aime mon corps, j'aime mon corps
il m'emmène partout et on peut faire la fête
j'aime mon corps, j'aime mon corps
de mes épaules jusqu'aux oreilles, des pieds jusqu'à la tète

1: J'aime, avec mes mains dire « coucou »
avec ma tête dire « oui »
tapoter des doigts partout
avec ma bouche pousser des cris
et j'aime aussi chuchoter

tends les oreilles pour écouter
et si je tire la langue comme ça
dis-moi si j'ai mangé du chocolat !
REFRAIN

2: Avec mes jambes j'peux sauter
accroupie je peux me baisser
et si je marche tout doucement

je peux aller vraiment très lentement
je peux taper fort des pieds
me dandiner du derrière
et si tu viens me chatouiller
je sauterai très haut en l'air !
REFRAIN

*Les paroles des chansons ne sont pas une traduction littérale

My Body - Song

CHORUS:
I love my body
It takes me everywhere
I love my body
from my toes up to my hair!

1: I love to nod my head
and wave my arms about
tap my fingers
and use my mouth to shout!

I also love to whisper
I need ears to hear
I stick out my tongue
then make it disappear!
CHORUS

2: With my legs I jump up high
and crouch down low
When I walk like this
I'm really very slow!

I can wiggle my bottom
and stamp my feet
and if you tickle my tummy
I'll run off down the street!
CHORUS

*The words in the songs are not a literal translation

Then I fall asleep.
Good night!

At the end of the day, when I am tired, I like to read a book in bed. I hold it until my wrists ache and my neck gets tired.

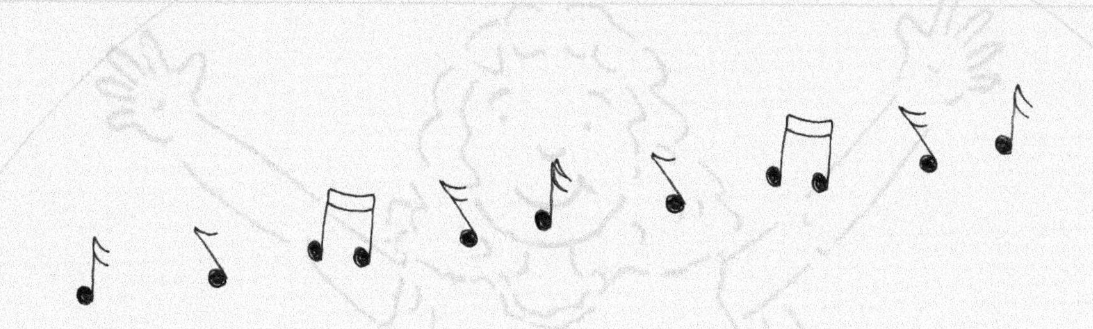

When I dance I wiggle my <u>bottom</u> and stick my <u>elbows</u> out! Hugo and I laugh so much we can't sing the song anymore!

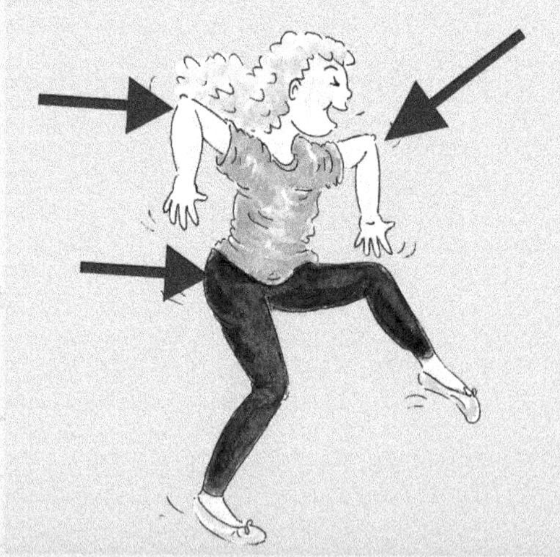

When we go for a walk I take my rucksack on my shoulders. If my toes are cold I stamp my feet, one foot after the other!
Can you stamp your feet?

I like...

... not all at once! That would be silly! Yuck!!

Can you stick your tongue out?

I use my tongue to taste lovely food! Hugo's favourite foods are...

...lentils

..spinach..

..and ice-cream

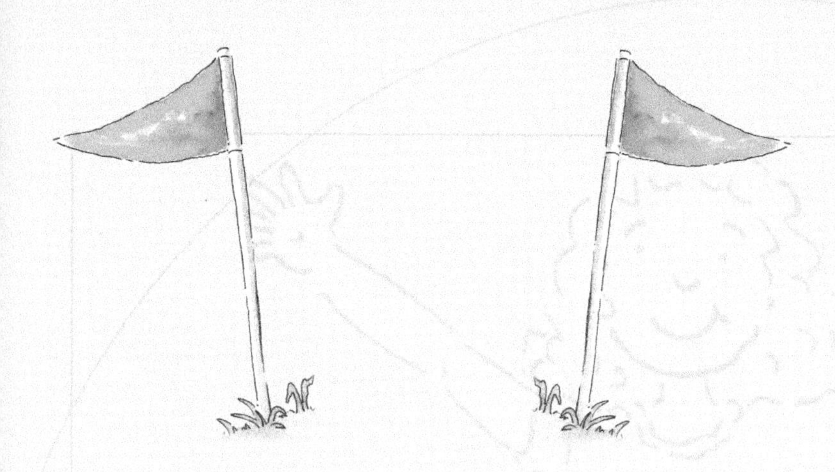

Finn can run faster than I can; he always wins the races! Maybe I need to practise more. Can you point to your <u>knees</u>?

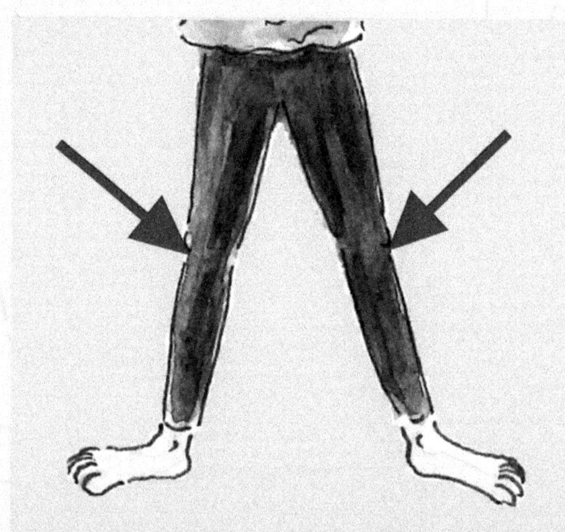

If it's a sunny day then I wear sun block. I must remember to put some on my <u>forehead</u> and <u>chin</u>.

I use my fingers to play my recorder. Hugo plays the violin. Fingertips make a nice tapping sound. Can you tap your fingers?

In school we must be quiet. Sometimes we whisper. We use our ears to listen to the teacher. Can you whisper 'hello' very quietly?

3
+
4
−
5
×

I use my arms when I am playing with my friends. We shout to each other and are very loud! We use our legs to run very fast. Can you wave your arms about?

I can
wave at
him from
my
window.
Can you
wave
your
hand?

My best friend is Hugo. He lives in the house next door to mine.

Let's see if you can do this; blink your eyes, screw up your nose and smile at the same time!

On my face I have two eyes, a nose and a big smiley mouth!

This is my head, it's on top of my neck!
I have long blonde hair.
Can you nod your head?

This is my body.
I love my body!

Hello! This is me.
My name is Charlotte.
What's your name?

My
Body
Mandie Davis
&
Maddy May

Also available from Les Puces

Visit the shop on our website at www.lespuces.co.uk

For my dearly loved and ever supportive parents, James and Jenny.

Maddy May

Mandie Davis
&
Maddy May

Reprinted (Version 3) November 2017
Reprinted (Version 2) January 2016
First published by Les Puces Ltd in December 2015
ISBN 978-0-9931569-7-7

www.lespuces.co.uk

Lightning Source UK Ltd.
Milton Keynes UK
UKHW050135050322
399582UK00005B/146